# Losin y Dewin

## W. J. JONES

### Darluniau gan Elwyn Ioan

Gwasg Gomer
1988

Argraffiad cyntaf—1988
Ail Argraffiad—Mai 1994

ⓗy stori: W. J. Jones, 1988 ©

ⓗy darluniau: Elwyn Ioan, 1988 ©

ISBN 0 86383 402 7


Cyhoeddwyd dan gynllun comisiynu'r
Cyngor Llyfrau Cymraeg.

Dymuna'r cyhoeddwyr gydnabod cymorth a chyfar-
wyddyd Adrannau'r Cyngor Llyfrau Cymraeg a
noddir gan Gyngor Celfyddydau Cymru.

Bwrdd Golygyddol: Mair Evans (Prif Olygydd)
Irma Chilton
Elspeth Mitcheson


Argraffwyd gan J. D. Lewis a'i Feibion Cyf.,
Gwasg Gomer, Llandysul, Dyfed

# PENNOD 1

Ciciodd Emyr Wyn y bêl a diflannodd honno i ganol y bresych. Go dratia! Wrth groesi'r lawnt i fynd ar ei hôl credodd iddo weld darn hanner can ceiniog yn gorwedd ar y pridd.

Hanner can ceiniog! Dyma beth oedd lwc. Gallai brynu llond gwlad o losin am hanner can ceiniog . . . Ond wrth blygu ymlaen, cafodd siom. Nid hanner can ceiniog oedd yno ond hen dop potel laeth.

Gwelodd greadur peryglus ar afal wedi pydru—creadur peryglus gyda stribedi melyn a du ar ei gwt. Gwenynen feirch . . . a gallai gwenynen feirch bigo'n gas ar ddiwedd yr haf. Ble'r oedd e wedi gweld stribedi melyn a du fel yna o'r blaen? Ceisiodd gofio.

Cododd y wenynen ac ehedeg yn syth amdano. Neidiodd yntau'n ôl mewn braw, ac wrth geisio troi yn rhy sydyn cwympodd ar ei ben-ôl i ganol y bresych! Blodau sy'n tyfu yng ngerddi

lawntiau fel rheol; ond nid yng ngardd Dad. O na! Doedd tad Emyr Wyn ddim yn credu mewn tyfu blodau gan na allai neb na dim fwyta blodau ... ar wahân i falwod, wrth gwrs! Roedd yn well ganddo ef dyfu bresych o gwmpas y lawnt. Roedd Mrs Elis drws nesa wedi dweud wrth ei dad fwy nag unwaith ei fod e'n ddyn od a'i alw'n Dai Bresych.

Un od oedd Mrs Elis hefyd ond cathod oedd ei hoffter mawr hi. Roedd ganddi o leiaf ddwsin ohonyn nhw a phan fyddai Dad yn cweryla â hi byddai'n ei galw'n 'Mari Miaw'. Cwynai o hyd fod un o'r cathod, creadur mawr du o'r

6

enw Smwt, yn dod i ganol y bresych i grafu a gwneud llanast.

Gwelai Emyr Wyn Smwt yn aml. Eisteddai ar bolyn concrit, ei chynffon wedi'i chyrlio amdani a'i llygaid treiddgar yn sbio arno. Ambell waith, codai beth ofn arno.

Ond gofid mwyaf Emyr Wyn oedd ei fod e'n gorfod helpu i fwyta'r holl lysiau a dyfai ei dad. Wir, credai ambell dro y byddai'n troi'n gwningen ar ôl bwyta cymaint o letys a bresych a moron.

Anaml iawn y byddai'n cael prynu losin. Dyna biti na allai'r hen dop potel laeth droi'n ddarn hanner can ceiniog. Gallai fynd i'r siop ar y slei wedyn i brynu chwarter o Bonbons a Wispa. Fe fydden nhw'n flasus ar ôl y salad y byddai'n ei gael i ginio.

Ond, dyma Mami'n galw eto, 'Emyr Wyn, dere 'ma, dyna fachgen da.'

Rhedodd draw ar unwaith. Doedd e ddim am i'w fam wybod ei fod wedi torri bresychen. Fyddai honno ddim yn credu iddo orfod troi'n sydyn i osgoi gwenynen feirch.

7

'Cer i'r siop ar neges i fi. Paced o halen a phecyn o flawd. Fe gei di brynu afal gyda pheth o'r newid. Cymer.'

Ac fe roddodd ei fam ddarn punt iddo fe—a pheri i'w lygaid ddisgleirio. Doedd e ddim yn siŵr faint oedd halen a phecyn o flawd yn gostio, ond roedd yn siŵr nad oedd e'n mynd i brynu unrhyw ffrwyth gyda'r newid. Roedd Smarties yn fwy blasus o lawer a gallai eu bwyta'n hamddenol ar y ffordd adre.

'A chofia di gerdded ar y palmant ac edrych yn ofalus cyn croesi'r ffordd,' meddai ei fam wedyn.

'O'r gore, Mami,' atebodd Emyr Wyn gan gau clwyd y lawnt ar ei ôl.

'A dere di â'r neges adre ar unwaith.'

'O'r gore, Mami,' meddai gan edrych ar hyd y ffordd. Doedd neb arall ar y palmant yn unman, trwy lwc, neu fe fydden nhw wedi troi i edrych o ble'r oedd yr holl weiddi'n dod. Fe allai Mami fod yn swnllyd ambell waith.

I ffwrdd ag e gan ofalu peidio â rhoi ei droed ar grac. Gallai hynny fod yn anlwcus. Roedd ei law chwith yn ei boced, yn cydio'n dynn yn y darn punt, ond erbyn hyn, doedd e ddim yn siŵr beth fyddai e'n ei brynu gyda'r newid. Doedd e ddim wedi bwyta Turkish Delight ers amser, a byddai lolipop coch yn dda ar ddiwrnod mor boeth.

Roedd wedi bod yn siopau'r stad ddwsinau o weithiau o'r blaen, ond doedd Mami ddim yn rhy barod i'w adael i fynd ar ei ben ei hun er bod mam Rhodri a Tom yn gadael iddyn nhw fynd yno unrhyw adeg ... a chroesi'r ffordd fawr a mynd i'r brif ganolfan siopa. Efeilliaid yn ei ddosbarth oedd Rhodri a Tom ond doedd e ddim yn ffrindiau â nhw am eu bod yn ei bryfocio bob amser. Mae'n wir eu bod nhw'n wyth oed ac mai dim ond saith a hanner oedd e, ond teimlai Emyr ei fod yn ddigon hen i groesi'r ffordd brysur a mynd i brif siopau'r dre erbyn hyn; roedden nhw'n llawer mwy diddorol na siopau bach y stad.

Gwelodd fws deulawr yn chwyrnu heibio iddo ac yn stopio wrth yr arhosfan ychydig lathenni oddi wrtho.

10

Gobeithiai mai Mrs Elis fyddai'n disgyn ohono o achos byddai honno'n dod â bar o siocled iddo ambell waith—rhag ofn iddo fe droi'n gwningen wrth fwyta cymaint o letys, meddai hi!

Ond cafodd Emyr Wyn ei siomi. Dim ond hen ŵr oedd yn disgyn o'r bws ac edrychai hwnnw fel pe bai'n cael gwaith gwneud hynny. Ar ôl iddo roi ei ddwy droed ar y palmant, cydiodd yn dynn yn ei ffon ac edrych o'i gwmpas. Gwelodd Emyr Wyn yn cerdded ato a gwenodd arno. Arafodd yntau. Dywedai Mami o hyd ac o hyd nad oedd i siarad â phobl ddieithr—ac roedd ymron yn siŵr nad oedd wedi gweld yr hen ŵr hwn erioed o'r blaen. Eto, roedd ei wyneb yn gyfarwydd. Gallai weld ychydig o'i wallt gwyn o dan ei het a gwenodd wrth sylwi ar y papur Turkish Delight yn ei chantel. Roedd ei drwyn yn gam gyda blew duon yn tyfu ohono. Dim ond un dant oedd yn ei ben a hwnnw'n felyn. Ond yr hyn a ddenai Emyr Wyn oedd ei

11

lygaid. Roedden nhw fel pe baen nhw'n
edrych trwyddo ac roedd gwawr werdd
iddyn nhw. Roedd ymron yn siŵr ei fod
wedi eu gweld o'r blaen yn rhywle.
Ble, tybed?'

Ond gan gydio'n dynn yn y darn punt, ceisiodd frysio heibio i'r hen ŵr.

'Pnawn da, Emyr Wyn.'

Wel! Roedd yr hen ŵr yn ei adnabod.

'Pnawn da.'

'Mynd i'r siop i brynu rhywbeth danteithiol?'

Danteithiol! Dyna air roedd Dad yn ei ddefnyddio byth a hefyd. Roedd Dad yn gweld popeth a dyfai yn ei ardd yn *ddanteithiol*—tatws, moron, persli, maro, a hyd yn oed fresych . . . a doedd neb call yn hoffi bresych, ar wahân i falwod, ac roedd croeso i'r rheiny fwyta faint a fynnen nhw ohonynt. Rhaid bod hwn yn gwybod am y gair. Doedd e ddim yn hollol ddieithr, felly. Ffrind i Dad, efallai.

'Ie. Ar neges i Mami. Mae gen i arian i'w wario hefyd.'

'A beth fyddi di'n brynu?'

'Dw i ddim yn siŵr. Turkish Delight, falle. Neu lolipop coch.'

'Paced o Bonbons a lolipop blasus.
Wir, y mae Emyr yn fachgen bach
lwcus!'

14

Doedd Emyr Wyn ddim wedi sôn am Bonbons, a beth bynnag, ni fyddai ganddo ddigon o newid i'w roi'n ôl i Mami pe bai'n prynu Bonbons *a* loli-pop. Roedd yn gas ganddo benillion hefyd. Byddai'r plant yn yr ysgol yn siantio hen rigymau cas amdano am ei fod yn gwrthod rhannu losin. Ond chwarae teg, meddai Emyr Wyn wrtho'i hun, doedd e ddim yn cael cymaint â hynny o losin am fod ei fam yn dwrdio y bydden nhw'n peri i'w ddannedd bydru. Ffrwythau, ffrwyth-au oedd ei thiwn gron hi o hyd. Roedd am iddo brynu ffrwythau gyda'i arian poced ond trwy lwc roedd yn medru prynu losin ar y slei ambell dro—ond ddim digon i'w rhannu â neb, roedd e'n siŵr o hynny!

'Mae'n rhaid i fi fynd,' meddai.

'Wrth gwrs. Ond hwyrach y caret ti wybod bod siop losin gen i. Newydd agor.'

Dyma beth oedd newydd da. 'O? Ble?'

Cododd yr hen ŵr ei ffon ac anelu ei blaen at y ciosg teleffon ymhell i lawr y ffordd. 'Rownd y gornel. Y brif ganol-fan siopa. Rhwng siop Woolworth a'r banc.'

Suddodd calon Emyr Wyn. Y fath siom. Byddai rhaid iddo groesi'r ffordd fawr, a gwneud hynny heb yn wybod i Mami. Fe fu chwant dweud nad oedd hawl ganddo i fynd mor bell. Yna, pen-derfynodd beidio â dweud dim. Roedd am i'r hen ŵr wybod ei fod yn fachgen mawr.

'Mae gen i lawer o bethe danteithiol iawn ynddi hi,' aeth yr hen ŵr yn ei flaen, 'Golden Cup, Marathon, Turkish Delight, Rolo, Mars, Milky Way—cant a mil o bethau. A Toblerone.'

Roedd clywed y losin yn cael eu henwi yn tynnu dŵr o ddannedd Emyr Wyn ac edrychodd ym myw llygaid yr hen ŵr. Ar un olwg, roedd ei drwyn cam a'r un dant melyn a welai yn ei geg yn codi ofn arno, ond ar olwg arall roedden nhw fel pe baen nhw'n ei ddenu. Ac roedd bron â marw eisiau dweud wrtho fod darn o bapur Turkish Delight yng nghantel ei het.

'Fe fydda i'n dod i weld y siop ryw ddiwrnod,' meddai gan ddechrau cerdded yn ei flaen.

Ar ôl gadael cysgod yr hen ŵr, dechreuodd redeg. Yna, gwelodd y byddai hynny'n edrych yn od a stopiodd yn stond. Edrychodd yn ôl a chael sioc. Doedd dim sôn am yr hen ŵr yn unman! Sylwodd Emyr Wyn ar rywbeth arall hefyd. Roedd y palmant yn ymyl yr arhosfan yn lân pan adawodd y bws, ond nawr roedd lolipop coch yno, yn toddi yng ngwres yr haul, ac yn ei ymyl roedd darn o bapur Turkish Delight. Doedd lolipops coch ddim yn arfer disgyn fel glaw o'r cymylau ac

roedd hi'n amlwg nad oedd hwn wedi bod ar lawr yn hir. Ai'r darn papur yma oedd yng nghantel het yr hen ŵr, tybed?

## PENNOD 2

Roedd y darn punt yn boeth yn llaw Emyr Wyn erbyn hyn, a heb feddwl rhagor am y dyn od, brysiodd i lawr y ffordd a throi'r gornel. Yna, gan sefyll ar fin y palmant, edrychodd yn ofalus i'r chwith ac i'r dde sawl gwaith cyn croesi ffordd dawel y stad.

Nawr, roedd yn dod at y siopau. Yn ei ymyl roedd siop y cigydd ond doedd Mami byth yn mynd i mewn i'r siop yma gan na fydden nhw'n bwyta cig.

Doedd Mami ddim yn hoffi coginio anifeiliaid, meddai hi. Syllodd yn geg-agored ar y mochyn yn y ffenest, yn hongian â'i ben i lawr . . .

Doedd Mami byth yn mynd i'r siop nesaf, chwaith. Siop lysiau oedd hon ac roedd nifer o flychau wedi'u gwas-garu ar y palmant y tu allan iddi. Ynddyn nhw roedd moron, tatws, erfin . . . ac yn waeth na'r cyfan, bresych! Doedd dim angen i Mami brynu dim yn y fan yma, a llysiau'n tyfu ym mhobman o gwmpas y tŷ!

O! Roedd yn gas ganddo lysiau, er bod ei fam yn pregethu eu bod yn gwneud lles iddo. Rhyfedd mor ddi-flas oedd popeth a wnâi les iddo!

Y siop nesaf y daeth ar ei thraws oedd siop Mr Ifans y groser. Roedd hon yn dipyn mwy diddorol—roedd tair o'i silffoedd yn llawn losin! Ond teimlai Emyr Wyn yn drist wrth edrych ar bopeth a gwybod nad oedd ganddo ddigon o arian i brynu fawr ddim.

Fe oedd yr unig gwsmer a gwenai Mr Ifans fel giât wrth gerdded ato.

'Emyr Wyn heb ei fam. Sut wyt ti, fachgen?'

'Iawn, diolch,' atebodd yntau gan barhau i edrych ar y silffoedd losin.

'A beth yw'r neges?'

'Halen a phecyn o flawd . . . a gaf i lolipop coch gyda pheth o'r newid, os gwelwch yn dda?'

'Ydy dy fam yn gwneud pastai i ginio, dywed?'

'Na. Salad wy. Ond fe fydd pastai tatws i swper.'

Ych! meddyliodd yn ddiflas. Doedd ganddo ddim i'w ddweud wrth bastai tatws.

'Wel, does dim yn well na salad wy i ginio ar ddiwrnod braf,' meddai Mr Ifans gan dderbyn y darn punt.

Gwyddai nad oedd Emyr Wyn druan yn cael llawer o losin a phenderfynodd fod yn garedig. Ar ôl rhoi'r lolipop iddo, stwffiodd baced o Bonbons gyda'r newid i boced ei drowsus.

O! Roedd Emyr Wyn yn falch. 'Diolch,' meddai gan roi ei law ar y pecyn. Dyma beth oedd lwc dda.

Rhoddodd y siopwr ei neges mewn bag plastig gwyn a glas a'i hestyn iddo, a chynted ag yr oedd allan o'r siop tynnodd Emyr Wyn y papur lliwgar oddi ar y lolipop. Hoffai wneud hyn bob amser, ac roedd wrth ei fodd hefyd yn rhoi ei dafod ar y lolipop oer, oer. Penderfynodd y gallai fwyta lolipops coch drwy'r dydd.

Go dratia! Roedd hi'n anodd bwyta lolipop a chario'r neges yr un pryd ond doedd dim i'w wneud. Yna yn sydyn aeth Emyr Wyn yn oer drwyddo—na, nid oherwydd y lolipop coch, ond wrth gofio rhigwm yr hen ŵr a welsai ar y ffordd i'r siop.

Paced o Bonbons a lolipop blasus.
Wir, y mae Emyr yn fachgen bach
lwcus!

Roedd geriau'r hen ŵr wedi dod yn wir. Roedd Emyr Wyn wedi cael loli-pop blasus *a* Bonbons. Ond sut y gwyddai hwnnw y byddai Mr Ifans yn rhoi Bonbons iddo? Tybed ai dewin oedd e? Tybed a fyddai'n ei weld eto?
Stopiodd yn union ar ôl troi'r gornel. Nid yr hen ŵr musgrell oedd yno, ond yr efeilliaid—a chofiodd Emyr Wyn yn syth ble'r oedd e wedi gweld stribedi du a melyn fel pen-ôl gwenynen feirch o'r blaen. Roedd Tom a Rhodri bob amser yn gwisgo dillad yr un fath —roedd gan y ddau siwmperi streipiog du a melyn ac roedden nhw hefyd yn gallu bod mor bigog â gwenyn!
'Wedi bod yn y siop, Emyr Wyn?' gof-ynnodd Tom yn syth.
'Be brynaist ti?' holodd Rhodri.

'Fedri di ddim gweld, y twpsyn?' Llyfodd yn galed ar ei lolipop coch a dangos y bag siopa. Wedi'r cyfan, doedd e ddim wedi prynu Bonbons.

Ond roedd llygaid Tom fel rhai eryr. 'Mae gen ti rywbeth yn dy boced,' meddai.

'Losin,' meddai Rhodri, 'fe ddylet ti rannu. Mae pawb yn rhannu.' Ac fe safodd o flaen Emyr Wyn gan ei rwystro rhag cerdded yn ei flaen.

'Nid i fi maen nhw,' meddai Emyr Wyn gan ddweud celwydd a gwthio heibio iddo.

'Fe ddylai pawb rannu,' meddai Rhodri wedyn.

'Ond dyw Emyr Wyn byth yn rhannu,' meddai Tom ar dop ei lais gan roi hwb iddo yn ei gefn. A dyma'r ddau'n dechrau siantio:

'Emyr Wyn yn dod o'r siop,
Wedi prynu lolipop.
Emyr Wyn yn hoffi prynu
Toblerone—ond byth yn rhannu.
—Emyr Wyn!'

Roedd yn gas ganddo'r hen rigwm.

25

'Caewch 'ych cegau,' meddai ar dop ei lais. Ond dyma'r ddau'n gweiddi'n uwch cyn croesi'r ffordd i fynd draw i'r parc. Sychodd Emyr Wyn ei ddagrau a gwylio'r ddwy siwmper streipiog yn diflannu.

Roedd llawer o bobl yn cerdded ar y palmant erbyn hyn a chraffodd Emyr Wyn ar bob un ohonyn nhw. Doedd e ddim yn fodlon cyfaddef hynny, hyd yn oed wrtho ef ei hunan, ond roedd e'n edrych am yr hen ŵr hynod ac eto yn gobeithio na fyddai'n ei weld. Rywsut, fodd bynnag, gwyddai y byddai'n ei weld eto cyn hir, a doedd e ddim yn edrych ymlaen at hynny. Roedd rhywbeth mor—mor od yn ei gylch. A ble'r oedd e wedi gweld y llygaid yna o'r blaen?

Penderfynodd beidio â dweud yr un gair wrth Mami amdano. Pe bai honno'n dod i wybod ei fod wedi bod yn siarad â dyn dieithr, byddai'n dweud na châi fynd i'r siop wrtho'i hun byth eto. Ac roedd yn gobeithio mynd yn slei bach i'r brif ganolfan siopa pan gâi arian gan rywun.

Trwy lwc, roedd Mrs Elis drws nesa yn y tŷ, a hi a Mami wrthi'n siarad fel dwy felin bupur. Roedd Mrs Elis mewn gofid—roedd ei chath ddu wedi mynd yn sâl ac roedd hi newydd fod â hi at y milfeddyg. Y newyddion diweddaraf oedd ei bod hi erbyn hyn yn cysgu yn ei basged . . .

Roedd Mami, mae'n amlwg, yn awyddus i gael yr hanes i gyd am afiechyd y gath, a doedd ganddi ddim diddordeb yn ei daith ef i'r siop. Ond roedd hi wedi bod yn disgwyl ers amser am y neges ar gyfer y bastai, ac yn ei brys i fynd ymlaen â'i gwaith welodd hi mo'r lwmpyn mawr yn ei boced. Pe bai hi'n gwybod bod losin ganddo, byddai wedi mynd o'i cho!

'Mami, gaf i fynd i'r parc?' gofynnodd Emyr Wyn gan gamu at ddrws y cefn.

'Na, mae'r ffordd i'r parc yn rhy beryglus,' atebodd Mami.

'Mae Tom a Rhodri'n cael mynd heb gwmni,' meddai Emyr Wyn.

'Does dim rhaid i ti wneud popeth mae'r efeilliaid 'na'n ei wneud,' meddai wedyn. 'Cer i chwarae ar y siglen yn y cefn.'

'Garet ti ddod draw i weld Smwt?' meddai Mrs Elis gan wenu arno.

Rhaid cyfaddef, roedd Emyr Wyn yn hoffi Smwt—yn bennaf, am ei bod yn gwneud llanast ym mresych ei Dad—ond roedd ganddo rywbeth pwysicach i'w wneud nawr, sef cuddio'r Bonbons. Byddai'r cwpwrdd yn sied ardd Dad yn lle da a dyma ei gyfle i'w cuddio. Gwyddai y byddai gan Mami fwy o ddiddordeb yn y gath nag ynddo ef am dipyn bach.

'Dim diolch,' atebodd, ac i ffwrdd ag ef i guddio'r Bonbons mewn heddwch —a rhaid oedd iddo wneud hynny'n sydyn gan fod ei dad yn dod adre'n gynnar ar bnawn Sadwrn, fel rheol.

Ar ôl cyrraedd y sied rhoddodd ddwy Bonbon yn ei geg a chafodd y gweddill fynd i'r cwpwrdd. Yna, gan gnoi'n brysur, dechreuodd gicio'i bêl ar hyd y lawnt. Gwelodd ei dad yn cyrraedd ac yn plygu yn ymyl y bresych. Roedd mewn tymer ddrwg.

'Edrych ar y bresych yma,' meddai'n chwyrn wrth Emyr Wyn. 'Dwy wedi torri. Os caf i afael ar gath Meri Miaw . . .'

Rhaid ei fod mewn tymer ddrwg iawn. Anaml y byddai'n galw enwau ar Mrs Elis pan oedd ef o gwmpas!

'Mae Mrs Elis yn y tŷ gyda Mami.'

'Nid Mrs Elis. Y gath ddu. Mae'n mynnu gorwedd fan hyn o hyd.'

Cydiodd yn yr afal pwdwr a'i daflu dros y berth i lawnt drws nesa, ond ddywedodd Emyr Wyn ddim gair. Os oedd Dad am feio Smwt, popeth yn iawn. Doedd dim rhaid iddo fe ddweud ei bod yn sâl.

Gwyliodd ei dad yn mynd at ddrws y cefn a dechreuodd rowlio'i bêl gydag ymyl y lawnt. Gwelodd hen dop y botel laeth unwaith yn rhagor a synnodd pa mor debyg i ddarn hanner can ceiniog yr oedd e. Roedd e'n union fel septagon. Penderfynodd ei daflu ar ôl y galon afal i lawnt Mrs Elis a phlygodd i'w godi. Ond nid top hen botel laeth oedd e. Darn hanner can ceiniog oedd

30

yn ei law. Digon o arian i brynu Turkish Delight a Marathon . . . a mwy!

Ond roedd dirgelwch y darn arian yn dal i gnoi yng nghefn ei feddwl. Roedd yn siŵr mai hen dop potel laeth oedd yn yr ardd pan gwympodd i'r bresych cyn mynd i'r siop. Ond ta beth am hynny, roedd ganddo hanner can ceiniog i'w wario, ac nid oedd amheuaeth i ble yr âi i'w hela. Ni allai lai na chofio geiriau'r hen ŵr a gyfarfu ar ei ffordd i'r dre a'r newydd am ei siop losin ef yn y ganolfan siopa, rhwng Woolworth a'r banc. Byddai'n hoffi ei gweld—a chael cyfle i wario'i ffortiwn!

Yna clywodd sŵn o gyfeiriad y gegin. Roedd Mrs Elis yn gweiddi ar ei dad, 'Gadewch chi lonydd i'r cathod, Dai Bresych, neu fe fydda i'n dweud wrth y polîs.' Ac allan â hi gan frysio'n fân ac yn fuan i lawr y llwybr tuag at y glwyd ffrynt.

'Fe fyddai'n well ichi foddi rhai o'r cathod yna, yn enwedig yr hen gath ddu,' gwaeddodd ei dad ar ei hôl. 'Dyw hi'n ddim byd ond niwsans!'

Daeth Mami at riniog y drws. Roedd ei llygaid yn goch a'i hwyneb fel y galchen. Galwodd ar Emyr Wyn i ddod i fwyta'i salad a dechreuodd yntau deimlo'n ddiflas. Yna, sioncodd drwyddo wrth benderfynu'n sydyn y byddai'n mynd i siop y groser yn ystod y pnawn i wario'r hanner can ceiniog. Roedd y Bonbons ganddo hefyd yn y sied. Gallai fwyta ei wala o letys ac wyau a thomatos wrth feddwl am y wledd oedd yn ei aros!

Wrth ddechrau torri'r tomatos yn ddarnau bach, penderfynodd y byddai'n mynd ymhellach na siop y groser . . . y byddai'n mentro i'r ganolfan siopa, fel Rhodri a Tom. Byddai'n mynd i chwilio am y siop newydd rhwng Woolworth a'r banc. Gwenodd wrth feddwl am ei antur ac meddai Mami'n annwyl,

'Dyna fachgen da, yn gwenu wrth fwyta'r salad.'

Gwenodd Emyr Wyn yn ôl arni—yn anwylach fyth!

'Beth brynaist ti gyda'r newid yn y siop?' meddai hi wedyn.

33

Dyna broblem. Doedd Emyr Wyn ddim am ddweud celwydd a dechreuodd gnoi'n brysur a meddwl am ateb. Ond daeth ei dad i'r adwy ac meddai,

'Paid ti â siarad a bwyd yn dy geg, was.'

Gan wybod y byddai ceg wag yn beryglus, dechreuodd Emyr Wyn gnoi a chnoi fel dafad er nad oedd yn cael blas o gwbwl ar y bwyd. Bywiogodd drwyddo pan ddaeth y pwdin i'r bwrdd —jeli gwyrdd a hufen iâ pinc—ond coddodd ei lwy yn syth a dechrau bwyta, rhag ofn i'w fam ddechrau holi eto am ei daith i'r siop.

Ar ôl iddo orffen y jeli, llyfodd ei lwy'n lân fel y gallai edrych ar ei adlewyrchiad ynddi. Roedd bob amser yn hoffi ei weld ei hun wyneb i waered yn ei lwy. Ond y tro hwn, cafodd sioc. Ni fedrai weld ei wyneb o gwbwl. Yr hyn a welai oedd wyneb hen ŵr—ac roedd hwnnw'n gwenu arno, ei lygaid yn ddisglair. Medrai weld un dant melyn yn ei geg, a hyd yn oed y darn papur Turkish Delight yng nghantel ei het.

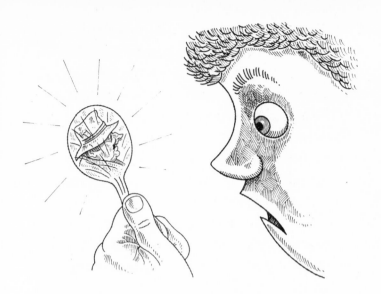

Rhoddodd Emyr Wyn y llwy yn ôl yn sydyn yn ei ddysgl bwdin, fel pe bai'n *boeth* . . . ond roedd ef wedi mynd yn oer drosto. Cododd ar ei draed rhag i'w rieni weld ei fod wedi cael braw.

'Dyna fachgen da,' meddai Mami. 'Wedi clirio popeth. Ac fe wnei di'r un peth gyda'r bastai i swper, rwy'n siŵr.'

Diflasodd wrth feddwl am ei swper. Crwst caled, tatws a moron ac erfin, a'r rheiny'n llenwi ei blat. Ond roedd ganddo bethau gwell i feddwl amdanynt ar hyn o bryd. Tybed ai dychmygu

35

wnaeth e iddo weld adlewyrchiad yr hen ŵr yn ei lwy? Hwyrach mai dewin oedd e. Yn sicr, pe bai *ef* yn ddewin, ni fyddai'n bwyta dim byd ond losin. Byddai'n gorchymyn na châi *neb* dyfu bresych na thatws, na moron na letys na maro!

Rhoddodd ei law ym mhoced ei drowsus a chydio'n dynn yn y darn hanner can ceiniog. Roedd yn boeth. Gwyddai y byddai'n rhaid iddo fynd i siop yr hen ŵr, y cyfle cyntaf a gâi.

## PENNOD 3

Chafodd Emyr Wyn fawr o flas ar ei frecwast fore dydd Sul. Roedd e'n casáu uwd! Pam na châi e siwgr a grawnfwyd mwy diddorol fel plant eraill? Syllodd ar ei lwy a cheisio penderfynu p'un ai dychmygu gweld wyneb yr hen ŵr yn ei lwy a wnaethai neithiwr ai peidio.

Roedd yn hoff o wrando ar stori ar fore Sul ac aeth at ei fam gan ofyn a fyddai hi'n fodlon darllen stori iddo. Ond doedd ganddi hi ddim amser. Yn syth wedi iddi hi glirio'r llestri brecwast, llanwodd y ford â llysiau, ffrwythau a photeli cadw.

'Wyt ti ddim yn gweld 'mod i'n brysur, grwt?' meddai ar dop ei llais. 'Rhaid i fi botelu'r betys yma i gyd ac mae gen i lond gwlad o afale a gwsberis i'w piclo. Cer i ofyn i Dad.'

Roedd e'n gwybod yn iawn ble'r oedd Dad—yn y sied yn trin hadau, ac felly, tra oedd e yno, doedd dim modd mynd i'r cwpwrdd i nôl y Bonbons. Byddai rhaid iddo chwilio am guddfan well iddyn nhw. Ond yn gyntaf, efallai y byddai Dad yn barod i ddweud un stori wrtho.

Ar ei ffordd i weld ei dad yr oedd pan welodd Mrs Elis yn brasgamu at ddrws y cefn, yn wên i gyd. Doedd tymer wyllt ei dad byth yn poeni llawer arni.

'Smwt lawer yn well, Emyr bach,' meddai hi, 'Wedi yfed llond soser o laeth y bore 'ma. A sbia, dyma lyfr straeon i ti. Gofyn i dy dad ddarllen iti . . . a thyfu llai o fresych.' Ac i ffwrdd â

hi i'r gegin dan chwerthin, i ddweud y newyddion da am Smwt wrth ei fam.

Doedd Emyr Wyn yn poeni dim am y gath . . . ac roedd yn siŵr y byddai ei dad yn ddigon siomedig ei bod wedi gwella! Byddai'n gallu dod i'r ardd eto i wneud llanast yn y bresych.

Doedd Mrs Elis erioed o'r blaen wedi dod â llyfr straeon iddo! Rhyfedd iddi wneud hynny'n awr.

Yna, gwelodd pam. Ar y clawr roedd llun clamp o falwoden ac wyneb bachgen ganddi. Roedd yn llusgo at fresychen fawr. Ni fedrai Emyr Wyn beidio â gwenu wrth redeg i'r sied at ei dad.

'Mae Mrs Elis wedi dod â llyfr i fi,' meddai wrtho. 'Stori am falwoden. Wnewch chi ddarllen i fi?'

Syllodd ei dad ar y clawr. 'Sgen i ddim amser i adrodd straeon am falwod,' meddai, 'a ta beth, mae gen i ormod o waith gyda'r hade 'ma. Rhaid i fi hau letys a bresych gaeaf cyn cinio. Gofyn i Meri Miaw ddweud stori wrthot ti.'

'Mae Mrs Elis yn dweud bod Smwt yn well,' meddai Emyr Wyn yn ddireidus.

'Piti,' oedd ateb Dad wrth gymryd fforch a brasgamu i lawr i waelod yr ardd.

Gwenodd Emyr Wyn wrth ei weld yn mynd. Nawr, gallai nôl y Bonbons o'r cwpwrdd a mynd i ben draw'r lawnt i edrych ar y lluniau oedd yn y llyfr.

Eisteddodd o dan y goeden geirios a dechrau troi'r tudalennau'n araf. Roedden nhw'n dda; yn lliwgar a deniadol. Rhoddodd ddwy Bonbon yn ei

geg a chnoi'n galed wrth wibio trwy dudalennau'r llyfr.

Yna, yn sydyn, stopiodd gnoi. Bu bron iddo dagu. Yng nghanol y llyfr roedd llun mawr o ddewin yn siarad â malwen ac—yn fwy brawychus fyth roedd Emyr Wyn yn ei adnabod. Hwn oedd yr hen ŵr a ddisgynnodd o'r bws ddydd Sadwrn. Wyneb hwn a welodd yn ei lwy. Gallai adnabod y blew yn cyrlio o'i drwyn a'r llygaid treiddgar.

Caeodd y llyfr yn glep ac edrych o'i gwmpas. Hanner-ofnai weld yr hen ŵr yn sbio arno o'r tu ôl i'r goeden geirios. Rhoddodd ei law yn ei boced a thynnu allan y darn hanner can ceiniog. Roedd wedi ei adael ym mhoced ei got drwy'r nos a dylai fod yn oer; ond pan gydiodd ynddo'r peth cyntaf y bore, roedd yn gynnes. Ac yn ei ddwrn yn awr roedd yn poethi, fel pe bai'n ceisio dweud wrtho am ei wario ar unwaith.

\*     \*     \*

Roedd ganddo wythnos o wyliau ar ôl a doedd Mami ddim wedi trefnu dim

41

ar gyfer bore trannoeth. Byddai Dadi yn y gwaith ond roedd wedi rhoi arian poced i Emyr Wyn a'i siarsio i brynu bananas. Nid oedd Emyr Wyn yn bwriadu gwrando ar gyngor ei dad ac ni ddywedodd air wrtho chwaith am yr hyn a ddigwyddodd yn yr ystafell ymolchi. Wrth iddo lanhau ei ddan-nedd a sbio yn y drych gwelodd wyneb yr hen ŵr yn edrych arno a gallai dyngu iddo glywed llais yn dweud wrtho am gofio dod i'r siop newydd rhwng Woolworth a'r banc.

Ac ar ôl ei weld eto yn llyfr Mrs Elis, gwyddai Emyr Wyn na fedrai ymatal. Roedd yn mynd i fod yn fachgen drwg . . .

\*        \*        \*

'Cofia di gadw ar y palmant nawr,' gwaeddodd Mami arno'n gynnar ar y bore Llun wrth iddo gau clwyd y lawnt ar ei ôl, 'ac edrych yn ofalus sawl gwaith cyn croesi'r ffordd.'

Nid atebodd Emyr Wyn. Os nad atebai, ni fyddai'n addo dim, ac ni allai neb ei gyhuddo wedyn o ddweud celwydd. Tybiai hi ei fod yn mynd i siop y groser i wario'i arian poced.

Brysiodd Emyr Wyn i lawr y ffordd nes cyrraedd arhosfan y bws. Dechreuodd bryderu tipyn bach pan welodd fws yn aros yno; ofnai y deuai'r hen ŵr i lawr ohono fel o'r blaen. Ond heddiw doedd dim sôn amdano.

Croesodd y ffordd a chyrraedd siopau'r stad. Ond nid arhosodd i edrych ar y mochyn yn siop y cigydd. Trodd i'r chwith a mynd i lawr y ffordd, a chyn hir roedd wrth y groesfan brysur a'r traffig yn chwyrnu heibio iddo.

Edrychodd i'r chwith ac i'r dde sawl gwaith cyn rhoi ei droed ar y sebra. Wedi iddo wneud hynny, arafodd y traffig a stopio. Cerddodd yntau'n fuan at yr ynys. Teimlai'n bwysig wrth i bopeth aros iddo gyrraedd yr ochr draw, ond roedd ei galon yn curo'n gyflym, nid oherwydd ei fod yn gwneud rhywbeth peryglus ond am ei fod wedi croesi'r groesfan brysur heb gael caniatâd Mami.

Roedd yn rhy hwyr iddo droi'n ôl nawr! Brysiodd heibio i'r ciosg tele-

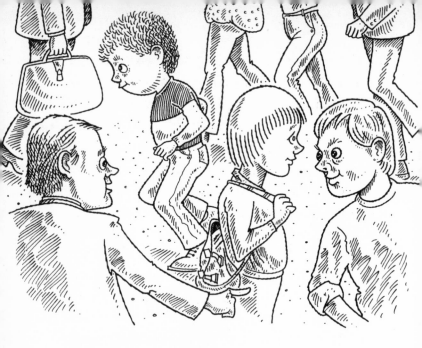

ffon a mynd rownd y gornel. Dyma'r
ffordd y byddai'n mynd ar hyd-ddi i'r
parc gyda'i rieni, ond roedd ei cher-
dded ar ei ben ei hun yn brofiad
gwahanol.

Roedd siopau'r rhan yma o'r dref yn
fwy o lawer a phobman yn brysurach.
Gweodd Emyr Wyn ei ffordd rhwng
coesau mewn trowsusau a choesau
mewn sanau neilon a cheisiodd ei orau
i beidio â baglu mewn bagiau. Doedd e
ddim wedi sylwi o'r blaen fod cymaint
o bobl yn y byd. Roedd yn hawdd mynd

ar goll yng nghanol yr holl goesau a doedd neb yn cymryd unrhyw sylw ohono ef. Aeth Emyr Wyn i deimlo'n unig.

Cyn hir daeth at siop Woolworth. Yn ei hymyl roedd banc . . . na, roedd yn anghywir. Yn ei hymyl roedd siop fach. Yn wir, roedd yn fach iawn. Doedd ryfedd nad oedd e wedi ei gweld o'r blaen. Roedd fel pe bai hi wedi cael ei gwasgu rhwng y ddau adeilad mawr arall.

Sylwodd fod y drws ar agor ac i mewn ag e. Digon tywyll oedd hi y tu mewn i'r siop, ond roedd yno gownter isel a hwnnw'n llawn o bethau da. Wir, wyddai Emyr Wyn ddim ble i ddechrau edrych. Ble bynnag y dis-gynnai ei lygaid, roedd blychau bychain lliwgar ac yn eu canol y blychau Toblerone mwyaf a welsai erioed. Y tu ôl iddyn nhw roedd rhes ar ôl rhes o boteli, a phob un yn llawn o losin a lolipops. Yna, ar silffoedd isel yn arwain o'r cownter, roedd blychau o siocledi, rhai ar agor a rhai ar gau— pob un yn tynnu dŵr o ddannedd

45

Emyr Wyn. Y broblem oedd, beth i'w brynu.

'Pnawn da, Emyr Wyn.'

Doedd e ddim wedi gweld yr hen ŵr musgrell yn sefyll y tu ôl i'w gownter, yn bennaf oherwydd ei fod yn gwisgo ffedog liwgar. Edrychai honno fel pe bai rhywun wedi bod yn gludio Smarties a botymau siocled drosti. Ond roedd yn amhosibl peidio ag adnabod y llygaid treiddgar, y trwyn cam gyda'r blew yn tyfu ohono, a'r un dant melyn yn y geg.

Aeth meddwl Emyr Wyn yn ôl at y llwy, y llun yn llyfr Mrs Elis a'r wyneb yn y drych a chododd peth ofn arno. Byddai'n hapusach pe bai cwsmeriaid eraill yn y siop, ond doedd neb i'w weld yn unman.

'Beth gymeri di? Beth am focs o loli-pops i ddechre?'

'Mae gen i lawer o arian,' eglurodd Emyr Wyn. 'Arian poced ges i gan Dad a darn hanner can ceiniog ges i gan . . . gan . . .'

'Does dim rhaid i ti siarad gormod am arian,' meddai'r hen ŵr wrtho.

'Mae popeth sydd yn y siop hon yn rhad iawn i gwsmeriaid da. Lolipops—dwy geiniog yr un, Toblerone—tair ceiniog, Turkish Delight—ceiniog, Rolo—dwy geiniog, Golden Cup—ceiniog. Fe fedri di lenwi pob poced sy gen ti.'

Dim ond pedair poced oedd gan Emyr Wyn ond roedd hanner gair yn ddigon iddo. Fe lanwodd bob un. Fe stwffiodd focsys o Smarties i'w sanau, paced o Bonbons i lawes ei grys a Curly Wurly i boced ei drowsus . . . ac roedd digon o le i far o siocled gwyn yn nhop ei drowsus hefyd!

Aeth allan o'r siop dan ganu, ac ar ôl iddo gyrraedd y stryd, claddodd ei ddannedd yn y Curly Wurly. Roedd wedi ei orffen, ac wedi bwyta bar o siocled gwyn ar ei ôl, cyn iddo gyrraedd y groesfan. Suddodd ei galon wrth weld pwy oedd yno—Tom a Rhodri, a nifer o'u ffrindiau gyda nhw.

Agorodd Tom ei geg yn syth, 'Wyt ti'n rhannu heddi, Emyr Wyn?'

'Mae gen ti lond dy bocedi,' meddai

Rhodri, 'ac mae pawb yn rhannu. Pawb ond Emyr Wyn, y bolgi mawr.'

'Pawb ond Emyr Wyn, y bolgi mawr,' meddai Tom wedyn a dechrau siantio, gan ddangos y bwlch rhwng ei ddannedd,

'Emyr Wyn yn dod o'r siop
Wedi prynu lolipop.
Emyr Wyn yn hoffi prynu
Toblerone—ond byth yn rhannu.
—Emyr Wyn!'

Dechreuodd y bechgyn ganu a thynnu stumiau arno ac fe godon nhw dameidiau o faw o'r ffordd a'u taflu ato. Fe fu Emyr Wyn chwant rhedeg i ffwrdd, ond meddyliodd y byddai'n cael llonydd pe gwydden nhw am y siop.

'Mae yna siop newydd wrth y banc, ac mae popeth yn rhad iawn yno. Toblerone am dair ceiniog. Ewch i brynu cyn iddi hi gau . . . a gadewch lonydd i fi.'

'Dy gelwydd di,' oedd ateb Tom. 'Toblerone am dair ceiniog?'

'A dim ond ceiniog am Rolo a Turkish Delight,' meddai Emyr Wyn wedyn.

'Mae deg ceiniog gen i. Dewch i weld, fechgyn,' meddai Rhodri, 'ac os wyt ti'n dweud celwydd, Emyr Wyn ...' Gadawodd ei frawddeg heb ei

gorffen a dal ei ddwrn o dan ei drwyn
yn fygythiol.

Rhoddodd Emyr Wyn ochenaid o ryddhad pan giliodd y ddwy siwmper streipiog a diflannu i ganol y coesau, a'r holl fechgyn eraill yn eu canlyn.

*      *      *

Trwy lwc, roedd Mami wedi mynd drws nesa i weld Smwt pan gyrhaeddodd y tŷ a chafodd gyfle i fynd i'r sied i guddio'r holl losin mewn heddwch. Gwyddai y byddai'n cael amser wrth ei fodd yn bwyta'r cyfan.

Pan ddychwelodd Mami holodd Emyr Wyn am ei ginio'n syth . . . cyn iddi hi gael cyfle i ofyn dim iddo fe.

'Dim ond ffa ar dost sy gen i'r pnawn yma. Fe gawn ni orffen pastai datw nos Sadwrn i swper heno.'

'Ych! Yr hen bastai yna eto. Roedd meddwl am y cymysgedd o datws a moron ac erfin yn peri iddo fe deimlo'n ddigon sâl.

'Mae'n well iti fynd i weld Smwt cyn iti gael dy ginio,' meddai ei fam wedyn. 'Mi fydd Mrs Elis wrth ei bodd. A chofia ddiolch iddi hi am y llyfr yna.'

Doedd ganddo fawr o ddiddordeb yn y gath ddu ond doedd e ddim am i'w fam godi ei chloch cyn cinio, felly aeth draw yn dawel ac ufudd i dŷ Mrs Elis. Ond pan oedd ar ganol y llwybr gwelodd Smwt yn cerdded tuag ato'n hamddenol. Fel pe bai wedi ei adnabod, dechreuodd fewian gan edrych ym myw ei lygaid ... Ie, edrych arno. A chofiodd Emyr Wyn ble'r oedd wedi gweld y llygaid treiddgar yna o'r

blaen. Roedd llygaid Smwt yn union fel rhai'r hen ŵr.

Trodd fel pe bai wedi cael ei drywanu a brysiodd at y glwyd, ond dechreuodd Smwt fewian eto. Roedd yn ei ymyl wrth iddo gau'r glwyd â chlep ar ei ôl, ei chynffon yn ysgwyd yn araf. Edrychodd Emyr Wyn arni mewn braw cyn troi ymaith. Yna gwelodd rywbeth fel septagon yn disgleirio ar y palmant.

Darn hanner can ceiniog!

Roedd Smwt yn sefyll yn ymyl y glwyd wrth i Emyr Wyn ei godi i fyny a'i roi yn ei boced. Roedd yn boeth ar gledr ei law.

Nawr, roedd Mami a Dadi wedi dweud wrtho sawl gwaith y dylai fynd ag unrhyw arian a welai ar lawr iddyn nhw; ond roedd gweld y darn hwn yn ormod o demtasiwn iddo. Eto, roedd yn anodd gwybod o ble'r oedd e wedi dod. Doedd e ddim wedi ei weld wrth ddod adre o'r siop—dim ond wrth fynd i weld Smwt, ac roedd y gath yn dal i syllu arno, fel pe bai hi'n gwybod popeth am yr hen ŵr a'i siop.

Gwenodd Emyr Wyn wrth sylweddoli y gallai fynd yno eto i brynu rhagor o losin. Ond rywsut, doedd e ddim yn hollol hapus.

## PENNOD 4

Er na wyddai ei rieni hynny, aeth
Emyr Wyn i'r siop newydd rhwng
Woolworth a'r banc ddydd Mawrth,
dydd Mercher, dydd Iau, dydd Gwener
a dydd Sadwrn. Roedd Mami'n rhy
brysur yn paratoi at y gaeaf i feddwl
amdano. Bob dydd, roedd bord y gegin
yn llawn o boteli a chynnyrch yr ardd.
Teimlai Emyr Wyn yn ddiflas wrth
edrych arnyn nhw. Byddai'n bwyta
bresych, moron a phys potel tan y
gwanwyn.

Trwy lwc iddo, roedd Mrs Elis yn
ofalus iawn o Smwt ar ôl iddi hi fod
gyda'r milfeddyg. Doedd e ddim yn
awyddus i weld y gath ddu ar ôl iddo
adnabod y llygaid!

Ond roedd un peth wedi codi ei
galon. Roedd y ddwy wenynen, Rhodri
a Tom, wedi mynd i aros at fodryb
iddyn nhw a doedd neb o gwmpas i'w
boeni. Ac i goroni'r cyfan, roedd yn

ddigon lwcus i ddod ar draws hanner can ceiniog bob dydd.

Ddydd Mawrth, roedd darn yn ymyl drws y sied. Ddydd Mercher, roedd un ar y bwrdd bach yn ymyl ei wely. Roedd un wrth olwyn ei feic BMX ddydd Iau ac un wrth y siglen yn y parc ddydd Gwener pan aeth yno gyda Mami. Roedd pob un yn boeth pan gydiai ynddo.

Welodd e'r un darn yn unman ddydd Sadwrn, ond doedd dim ots oherwydd roedd yr hen ŵr musgrell yn hael iawn ac yn ddigon parod iddo lenwi ei bocedi â losin bob tro. Ond a bod yn onest, doedd hwnnw ddim yn edrych mor fusgrell erbyn hyn. Wir, roedd e'n edrych yn smart yn ei ffedogau lliwgar, ac yn gwisgo un wahanol bob dydd. Ac ar y dydd Sadwrn, mentrodd Emyr Wyn ddweud wrtho ei fod wedi ei weld o'r blaen.

'O?' meddai'r hen ŵr. 'Ymhle, 'machgen i?'

'Fe ges i lyfr stori gan Mrs Elis drws nesa, llyfr am falwoden. Mae llun ohonoch chi ynddo fe—wel, rhywun tebyg iawn i chi.'

'Mae llawer o bobl yn debyg i fi ambell waith,' oedd ateb od yr hen ŵr. 'Mae'n dibynnu sut maen nhw'n teimlo.'

Penderfynodd Emyr Wyn beidio â dweud am yr wyneb yn y llwy ac yn nrych yr ystafell ymolchi. Ni ddywedodd ddim am lygaid Smwt chwaith. Roedd yn well ganddo sôn am rywbeth pwysicach.

'Mae gen i broblem.'

'Beth, fy machgen i?'

'Dydd Llun nesa, mae'r ysgol yn dechrau ar ôl y gwylie. Fedra i ddim dod i'r siop.'

'Hm,' meddai'r hen ŵr gan ddirwyn ei fysedd i lawr ei drwyn. 'Mae gen i ffordd i helpu cwsmeriaid da.'

'Sut?' gofynnodd Emyr Wyn.

'Wel, aros di nawr, fe fedret ti ddod draw bob dydd Sadwrn.'

'Medrwn, ond dydy cael losin bob dydd Sadwrn yn unig ddim yn ddigon da. Beth am ddydd Llun, dydd Mawrth, dydd Mercher . . . ?'

'Fe wn i am ffordd, ond rhaid iddi hi fod yn gyfrinach tan yr ei di adre.' A gwenodd yr hen ŵr yn slei arno.

'Dywedwch wrtha i nawr, plîs.'

'Pe bawn i'n dweud wrthot ti, fyddet ti ddim yn credu,' oedd ateb yr hen ŵr. 'Cer di adre ac fe gei di wybod y gyfrin-ach yn ddigon clou.'

Roedd Emyr yn llawn penbleth wrth gerdded ar hyd y palmant. Beth oedd ym meddwl yr hen ŵr, tybed? Doedd e ddim yn ei ofni erbyn hyn ond roedd bron yn siŵr mai dewin oedd e. Roedd ei lygaid yn fwy treiddgar nag erioed pan soniodd Emyr wrtho fe am ei lun yn y llyfr. Ac yn fwy na hynny, doedd neb yn dod i'r siop byth. Dim ond fe. Gwyddai fod pob siop arall yn y brif ganolfan yn denu llu o gwsmeriaid. Roedd popeth yn ddirgelwch mawr. Roedd pethau od yn digwydd o hyd. Bob tro y gwelai Smwt yn awr, roedd fel pe bai'n gwenu arno. Ac roedd ei hwyneb wedi mynd yn hynod o debyg i wyneb yr hen ŵr. Ofnai fynd i'r ardd fresych ger y lawnt rhag ofn iddo'i gweld yn gorwedd yno, ei llygaid treiddgar yn sbio arno.

Roedd hyd yn oed Mami'n ymddwyn yn od. Doedd hi byth yn gofyn iddo ble'r oedd e wedi bod.

A dyna'r darnau arian wedyn, yn ymddangos o'i flaen fel pe baen nhw'n disgyn o'r awyr; a phob un mor boeth.

\*  \*  \*

Fedrai Emyr Wyn ddim croesi'n syth ar ôl cyrraedd yr arhosfan gan fod confoi o lorïau'n pasio; hanner dwsin ohonyn nhw'n dilyn ei gilydd. Rhai gwyrdd, anferth oedden nhw a gwyddai Emyr Wyn eu bod yn mynd i'r ffatri ar y stad newydd.

Roedd Mami a Dad wedi dweud pa mor bwysig oedd hi i beidio â chroesi o'u blaen nhw gan na fedrai lorïau mawr stopio'n sydyn. Byddai bob amser yn croesi i'r ynys ar ganol y ffordd i ddechrau, ac roedd wrth ei fodd yn edrych ar y traffig yn chwyrnu heibio bob ochr iddo.

\*  \*  \*

Gallai arogli pastai nionod a chaws wrth ddod at y tŷ. Ych a fi!

'Dere at y ford, Emyr bach,' meddai Dad wrtho gan gydio yn ei bapur newydd, 'mae'r bwyd yn ddanteithiol iawn y pnawn 'ma. Ac mae gen i newyddion da.'

'O? Beth?' gofynnodd.

'Ddaw hen gath Mrs Elis ddim i'n gardd ni eto, was. Fe ges i gyfle i roi cic yn ei phen-ôl hi'r bore 'ma.'

'Ddylet ti ddim cam-drin cathod,' meddai Mami gan edrych yn gas arno.

Ond cododd hyn ragor o ofn ar Emyr Wyn. Beth pe bai'r hen ŵr yn dial ar ei dad am ymosod ar Smwt?

'Dim ond darn bach,' meddai pan welodd ei fam yn llwytho pastai ar ei blât.

Ond doedd Mami'n gwrando dim. Fe gafodd ddarn mawr, llawer rhy fawr. Cododd y darn lleiaf posibl ar ei fforc a'i roi yn ei geg. Yr un pryd, edrychodd allan i'r ardd, yn hanner ofni gweld Smwt yn eistedd ar y postyn concrit yn sbio arno.

Roedd blas y bastai'n od. Hynny yw, roedd y blas dipyn bach yn wahanol i flas y bastai nionod a chaws y byddai Mami'n arfer ei gwneud. Pe bai'n cau ei lygaid wrth gnoi, gallai dyngu mai Turkish Delight oedd yn ei geg. Ond roedd hynny'n amhosibl . . . on'd oedd?

Cymerodd gegaid arall i wneud yn siŵr. Oedd, roedd yn siŵr. Turkish Delight oedd e; danteithiol iawn. Ac fe gliriodd y cyfan yn syth.

'Dyna fachgen da,' meddai Mami.

'Mae hwnna dipyn gwell na losin i ti,' meddai Dad wedyn. 'Ar ôl iti orffen, fe gawn ni stori ar y lawnt. Dw i ddim wedi darllen stori'r falwen yna iti eto. Roeddet ti wedi gadael y llyfr yn y sied.'

Doedd Emyr Wyn ddim am glywed y stori; doedd e ddim am weld y llyfr byth eto ac roedd wedi ei guddio dan hen gatalogau ar silff uchaf y sied.

Peth od na fyddai Dad wedi dweud rhywbeth am y Toblerone oedd hefyd ar y silff.

Roedd e wedi dod â'r llyfr i'r tŷ a doedd dim dewis gan Emyr Wyn. Bu rhaid iddo ddilyn ei dad i'r lawnt a dechreuodd hwnnw adrodd y stori; ond gofalodd Emyr Wyn nad oedd yn edrych ar unrhyw lun. Caeodd ei lygaid nes i'r stori orffen, a stori dda oedd hi hefyd.

Yna, rhoddodd ei dad y llyfr ar y gadair a mynd i nôl y peiriant torri-gwair. Ar ôl iddo fynd o'r golwg sylwodd Emyr Wyn fod Smwt wedi dod at y gadair i chwilio am faldod. Mae'n amlwg nad oedd y gic a gawsai gan ei dad wedi codi braw arni. Dechreuodd rwbio yn erbyn ei goes a chanu ei chrwndi. Cydiodd yntau yn y llyfr a'i agor; ac ar unwaith gwelodd yr hen ŵr yn gwenu arno. Wir, credodd Emyr Wyn iddo wincio arno fe cyn iddo gau'r llyfr â chlep.

'Miaw,' meddai Smwt yn ei ymyl, ei chynffon yn goglais ei ben-glin. Neid-

iodd ar ei draed a rhedeg draw i'r sied
gan gau'r drws ar ei ôl.

*       *       *

Rywfodd, roedd Emyr Wyn yn edrych
ymlaen at ei swper a doedd e ddim.
Roedd am wybod pa flas fyddai ar y
blodfresych a chaws. Yr un pryd,
roedd yn ofni y bydden nhw'n blasu fel
. . . fel blodfresych a chaws.

Ond doedd dim angen iddo bryderu.
Blas Golden Cup oedd ar y cyfan.

Roedd Emyr Wyn ar ben ei ddigon. O
hyn allan byddai'n barod i fwyta
unrhyw beth gan y byddai popeth yn
blasu fel losin. O! roedd e'n fachgen
lwcus!

Pan gododd fore trannoeth roedd yr uwd yn ffrwtian yn y sosban. Tybed sut flas fyddai arno?

'Bore da, was,' meddai Dad o'r tu ôl i'w bapur Sul ond ddywedodd Mami ddim gair, dim ond arllwys uwd i'w fowlen a rhoi llaeth arno. Doedd hi ddim yn fodlon iddo gael siwgwr am y gallai hwnnw ddifetha'i ddannedd.

Rhoddodd Emyr Wyn lond llwy yn ei geg; ond gwyddai ar unwaith nad uwd cyffredin oedd e. Blas siocled gwyn oedd iddo. Roedd wrth ei fodd yn bwyta siocled gwyn a chliriodd ei ddysgl yn gwbl ddidrafferth.

Ar ôl iddo orffen, rhoddodd ei fam wy wedi'i chwalu a thomato iddo. Gallen nhw fod yn ddigon blasus ambell dro. Ond y tro hwn, roedden nhw'n blasu'n wahanol i unrhyw wy a thomato a gawsai erioed o'r blaen; yr wy'n blasu fel Minstrels a'r tomato fel Wispa. Ac roedd y paned te yr un blas â lemonêd. Rywsut, ni chafodd Emyr Wyn lawer o flas arnyn nhw.

Erbyn amser brecwast dydd Llun roedd e wedi cael hen ddigon ar bethau melys ac yn falch mynd i'r ysgol. Edrychai ymlaen at ei laeth am un ar ddeg ond ni chafodd gyfle i fynd i nôl y botel o'r gegin. Daeth Rhodri ato a dweud yn sbeitlyd gan ei daro yn ei gefn yr un pryd,

'Dy gelwydd di, Emyr Wyn. Does dim siop losin drws nesa i'r banc.'

Cyn iddo gael cyfle i ateb, daeth Tom i wawdio, 'Beth gest ti i frecwast, was? Bresych?'

Gwyddai Emyr Wyn fod pobl yn chwerthin am ben ei dad am ei fod yn tyfu bresych ar ymylon y lawnt, ond nid oedd am ddweud iddo gael uwd oedd yn blasu fel Maltesers ac wy wedi'i ferwi oedd yr un blas â Toblerone. Ond dyma'r ddau yn dechrau canu rhigwm newydd sbon,

'Emyr Wyn sy'n hoffi prynu
Toberlone, ond byth yn rhannu.
Bwyta bresych, bwyta moron
Bob pryd bwyd, y bachgen gwirion.
—Emyr Wyn.'

Byddai'n falch pe bai'r ddaear yn agor oddi tano ac nid oedd am fynd yn agos i'r gegin gan y byddai rhagor o'u ffrindiau yno. Roedd yn well ganddo fod heb laeth.

Cofiodd y byddai bresych a moron i ginio yn yr ysgol bob dydd Llun. Heddiw byddai wrth ei fodd yn eu bwyta. Doedd neb yn yr ysgol yn malio dim pan adawai'r cyfan ar ôl; ond heddiw byddai'n clirio'i blât.

Gofalodd gadw'n ddigon pell oddi wrth y ddwy wenynen feirch ac aeth â'i blât i gornel dawel i fwynhau'r pryd. Torrodd ddarn o foronyn iddo'i hun, ei roi yn ei geg a dechrau cnoi.

Cafodd siom. Blasai fel llygoden siwgwr. Roedd blas Curly Wurly ar y bresych, a'r tatws yn blasu fel Bon-bons. Doedd e ddim wedi breuddwydio y byddai hud y dewin yn ei ddilyn i'r ysgol.

Ddydd Mawrth, dydd Mercher, dydd Iau, dydd Gwener, roedd pob pryd bwyd yr un fath. Doedd dim gwahan-iaeth beth gâi ei roi o'i flaen, roedd yn blasu fel losin. Wir, erbyn swper nos Wener roedd Emyr Wyn yn sâl ar ôl bwyta pethau melys. Ac roedd bron â marw eisiau bwyd.

Gwyddai ble y byddai'n mynd ddydd Sadwrn; a hynny mor gynnar ag y medrai. Byddai'n mynd i'r siop fach rhwng Woolworth a'r banc ac yn gofyn i'r hen ŵr wneud i fara menyn flasu fel bara menyn, i fresych flasu fel bresych ac i foron beidio â blasu fel llygod siwgwr.

\*　　　　\*　　　　\*

Fore Sadwrn roedd Mami'n llawn ffws yn paratoi ychydig o gynnyrch yr ardd

69

ar gyfer y sioe arddio yn neuadd y dre.
Roedd hi a Dad yn ennill gwobrau yno
bob blwyddyn.

70

Roedd hwnnw wedi mynd yno o'i blaen, a moron, bresychen fawr a maro anferth yn ei gar. Roedd wedi addo dod yn ôl mor fuan ag y medrai i gludo poteli llysiau-cadw Mami draw i'r sioe. Ac wedi iddyn nhw fynd o'r golwg brysiodd Emyr Wyn i lawr llwybr yr ardd.

'Emyr Wyn,' galwodd llais arno. Roedd Mrs Elis yn sefyll wrth y berth, yn torri rhyw ddeiliach oddi ar y llwyn. 'Cymer,' meddai hi gan estyn darn ugain ceiniog iddo, 'fe elli di gael lolipop coch efo hwn.'

'Miaw,' meddai Smwt, fel pe bai'n cytuno â hi.

Doedd Emyr Wyn ddim eisiau lolipop coch ond nid oedd am ddigio Mrs Elis. Diolchodd iddi'n gwrtais cyn mynd ar ei daith i'r ganolfan siopa.

Ar ôl croesi'r ffordd brysur gwibiodd mor fuan ag y medrai ar hyd y palmant, gan osgoi coesau pobl fel bachgen yn chwarae rygbi. Ond roedd yn dasg anodd gan fod yr holl goesau fel coedwig o'i gwmpas. Cyn hir roedd o flaen y banc. Gan fod hwnnw ar agor bob dydd Sadwrn, roedd dwsinau o bobl yn mynd i mewn ac allan a drysodd Emyr Wyn am ychydig. Camodd yn ôl a syllu ar fur y banc ac yna ar fur Woolworth . . .

Doedd dim sôn am siop yr hen ŵr rhyngddyn nhw; doedd dim arwydd i siop fod yno erioed. Tybed a oedd e wedi breuddwydio'r cyfan?

Cododd chwant arno fynd i mewn i'r banc. Efallai y byddai rhywun yno'n gwybod am y siop. Ond roedd e wedi bod yno sawl gwaith gyda Dad. Hen le mawr, oeraidd oedd e. Doedd

72

dim posibl iddo dynnu sylw neb yno, a ta beth, ni fyddai'n gwybod yn iawn beth i'w ofyn—byddai ymron bawb yn siarad Saesneg yno.

A dyna Woolworth, wedyn. Roedd yn ddigon hapus oedi yn yr adran deganau, ond roedd yn gas ganddo geisio gwthio heibio i'r bobl.

Na, doedd dim y gallai ei wneud ond troi am adre . . . a bwyta bwyd yn blasu o losin am byth. O! Roedd e'n anlwcus!

Cerddodd yn araf, a'i ben i lawr. Rywsut, byddai'n falch pe bai ei fam yn dod i wybod am ei helynt. Ond doedd e, yn bendant, ddim am ddweud wrthi. Byddai'n rhaid iddo gyfaddef wedyn iddo wneud llawer o bethau na ddylai fod wedi eu gwneud.

Meddyliodd am Mrs Elis wedyn, am y darn ugain ceiniog yn ei boced ac am Tom a Rhodri. Beth am chwilio am siop a fyddai'n fodlon gwerthu gwerth ugain ceiniog o losin iddo? Gallai eu rhoi i gyd i'r ddwy wenynen feirch i gau eu cegau. Ond ei ofid pennaf oedd

bod yr hen ŵr musgrell a'i siop wedi
mynd am byth.

Erbyn hyn roedd wedi cyrraedd y
groesfan brysur. Roedd nifer o geir a

bysys yn chwyrnu heibio a chyn hir
roedd hanner dwsin o lorïau gwyrdd
yn dod i'w dilyn.

Croesodd Emyr Wyn i'r ynys yn y
canol ac aros. Am ychydig, ni sylwodd
fod cwmni ganddo; yna gwelodd fod
rhywun yn ei ymyl. Roedd ffon wen yn
ei law. Rhaid bod rhywun dall wedi
mentro'n groes heb iddo'i weld.

Yna gwelodd Emyr Wyn fod yr hen
wr dall yn croesi! Rhaid ei fod yn drwm
ei glyw. Camodd i'r ffordd fel pe bai'n
mynd am dro yn y parc; ac roedd lori
anferth yn rhuo tuag ato. Gallai gael
ei ladd. Byddai'n siŵr o gael ei ladd
oni allai ef, Emyr Wyn, wneud rhyw-
beth.

Gwaeddodd ar dop ei lais. Cydiodd
yn y dyn a'i dynnu'n ôl. Edrychodd
hwnnw i fyny fel pe bai'n deffro o
freuddwyd. Roedd ofn yn ei lygaid
wrth i'r lori chwyrnu heibio, ei chorn
yn canu'n gras.

'Diolch, fy machgen i,' meddai'r hen
wr gan droi i edrych ar Emyr Wyn.
Gwelodd yntau ddant melyn yn ei geg
a blew yn cyrlio allan o'i drwyn. A
gwelodd ddau lygad treiddgar.

Perchennog y siop oedd y dyn dall.

'Fe fyddwn i wedi cael fy lladd oni
bai amdanat ti,' meddai'r hen wr
wedyn, a gadawodd i Emyr Wyn ei
arwain ar draws y ffordd.

'Wyddwn i ddim eich bod chi'n
ddall,' meddai Emyr Wyn ar ôl iddyn
nhw gyrraedd yr ochr draw.

'Rwy'n ddall ambell waith ac yn fyddar dro arall,' oedd ateb od yr hen ŵr, 'yn ddall ac yn fyddar, ac weithiau'n ffôl.'

Erbyn hyn roedd y ddau'n cerdded gyda'i gilydd, a wyddai Emyr Wyn ddim beth i'w ddweud. Roedd e eisiau gofyn llawer o gwestiynau ond doedd e ddim yn gwybod ble i ddechrau. Ond gofynnodd yr hen ŵr iddo,

'Wyt ti'n cael blas ar dy fwyd y dyddie 'ma?'

'Nag ydw,' atebodd yntau.

'Rwyt ti wedi achub fy mywyd i. Oes yna rywbeth y caret ti ei gael am wneud hynny? Toblerone anferth, efallai?' A gwenodd, gan ddangos y dant melyn unwaith eto.

Ble'r oedd y dannedd eraill, tybed? A oedd pethau melys wedi pydru pob un ohonyn nhw?

'Dim diolch,' meddai Emyr Wyn yn gwrtais, 'ond fe garwn i . . .'

'Na, paid,' torrodd yr hen ŵr ar ei draws, 'fe wn i beth sydd yn dy feddwl di. Cer di adre nawr.'

Dechreuodd Emyr Wyn gerdded. Teimlodd y dylai ddiolch i'r hen ŵr am rywbeth, er na wyddai'n iawn beth. Trodd i wneud hynny. Ond doedd neb yno. Doedd dim golwg ohono yn unman. Ond gwelodd Emyr Wyn rywbeth, er hynny. Ar y ffordd lle'r oedd wedi bod yn sefyll, roedd lolipop coch, yn amlwg wedi cael ei daflu gan rywun beth amser yn ôl ac wedi toddi llawer yn y gwres. Yn ei ymyl, roedd papur Turkish Delight.

'Fe fydd cinio'n barod mewn munud,' meddai Mami wedi iddo gyrraedd y tŷ. 'Rhaid i Dad a finne fynd i'r neuadd wedi i ti orffen.' Yn rhyfedd iawn, ofynnodd hi ddim eto ble'r oedd e wedi bod.

'Doedd gan neb faro mwy na fi,' meddai Dad, 'ond roedd cath drws nesa wedi malu un o ddail y bresych. Falle y colla i'r wobr gynta o'i hachos hi.'

Roedd Emyr Wyn wedi gweld Smwt ar ei ffordd i'r tŷ. Roedd hi'n eistedd ar y postyn concrit, ond doedd ei llygaid ddim mor dreiddgar ag arfer.

78

'Salad yn barod,' meddai Mami.

Fel rheol byddai calon Emyr Wyn yn suddo pan glywai ei fam yn sôn am salad ond roedd golwg ddanteithiol ar y plataid a roddodd o'i flaen—letys a moron o'r ardd, caws ac wyau wedi'u malu a salad rwsaidd a thomato.

Am ychydig, ofnai gymryd y gegaid gyntaf o domato, ond ar ôl iddo ddechrau cnoi gwelodd fod y blas yn hyfryd—blas tomato.

'Wel?' meddai Mami gan wenu.

'Wel?' meddai Dad wedyn ac roedd yntau hefyd yn gwenu.

'Danteithiol,' meddai Emyr Wyn gan wenu gyda nhw. Roedd e'n siŵr eu bod nhw'n gwybod popeth.

Cafodd flas ar ei salad. Mor hyfryd oedd cael llysiau oedd yn blasu fel llysiau.

Emyr Wyn sy'n fachgen lwcus.
Mae e'n bwyta salad blasus!

Cyn dechrau bwyta'i bwdin cwstard oer a mwyar, edrychodd ar gefn ei lwy, ond doedd dim sôn am wyneb y dewin. Y cyfan a welai oedd ei wyneb ef ei hun—yn gwenu.

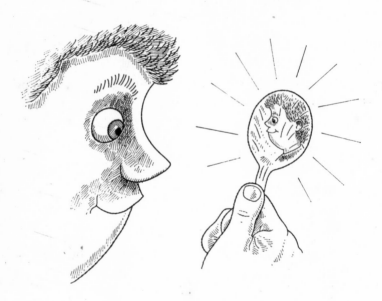